Mes histoires d'anniversaire

Ce livre est offert à

....

par

....

Mes histoires
d'anniversaire

5 histoires pour mes ans

FLEURUS

A CAPPELLA
• POUR FLEURUS •

Direction artistique - Conception de la couverture : Élisabeth Hebert
Conception graphique de l'intérieur : Élisabeth Hebert et Nelly Charraud
Édition : A Cappella Création
Photogravure : Penez Édition
Impression : Pollina (France) - n° L44360
Achevé d'imprimer en septembre 2006
N° d'édition : 07151
Dépôt légal : mars 2004
ISBN : 978-2-2150-4474-1

sommaire

Les cinq doigts de la main

Joyeux anniversaire !

Monsieur Pouce est tout guilleret.

Aujourd'hui, il a invité tous ses amis de la main droite

pour prendre le thé :

Monsieur Index, le plus curieux,

Monsieur Majeur, le plus sérieux,

Monsieur Annulaire, le plus coquet,

et Monsieur Auriculaire,

le plus petit,

d'où son surnom,

« le Petit Doigt ».

5

Monsieur Index arrive le premier, le nez en l'air
et l'ongle interrogateur.

« Bonjour, Monsieur Pouce !

Tenez, voici un bonnet à pompon
pour votre joli crâne tout rond. »
Monsieur Annulaire le suit de peu,
la mine réjouie et l'ongle brillant.

« Bonjour, Monsieur Pouce !
Tenez, voici un mouchoir brodé pour votre joli nez. »

6

Monsieur Auriculaire arrive tout essoufflé, les joues rouges et l'ongle timide.

« Bonjour, Monsieur Pouce !

Tenez, voici un foulard tout doux pour votre joli cou. »
Monsieur Pouce est ravi des cadeaux de ses amis.
Mais Monsieur Majeur n'est toujours pas arrivé.
Les quatre amis sont très inquiets : cela ne ressemble pas
à Monsieur Majeur d'être en retard,
il a dû lui arriver une drôle d'histoire.

« Il s'est cassé un os », dit Monsieur Index.

« On l'a coupé en deux », dit Monsieur Auriculaire.

« Il a une rage d'ongle », dit Monsieur Annulaire.

« Pouce ! ! ! » crie Monsieur Pouce.

Ça suffit comme ça, il faut en avoir le cœur net. Les amis,
en avant marche ! Allons le chercher ! » Les quatre doigts
se rendent chez Monsieur Majeur. Et là, que voient-ils ?
Un pauvre doigt plié en deux, qui sanglote à qui mieux mieux...

«Monsieur Majeur, c'est vous ? » chuchote Monsieur Pouce, très gêné. « Mmoui », dit le doigt, d'une toute petite voix. « Vous êtes triste ? » « Vouiiiiiii ! sanglote le plus grand des doigts en se jetant au cou de Monsieur Pouce. Snif ! Je suis grand... Snif ! Je suis bête... Snif ! Je ne sers à rien... »

« Mais c'est ridicule ! C'est très bien d'être grand ! Regardez-moi, je suis tout petit et tout gros.

Vous croyez que c'est rigolo ? »

Pour faire rire son ami, Monsieur Pouce tortille son ventre dodu et joufflu. Mais Monsieur Majeur est inconsolable. Monsieur Index arrive à la rescousse :

« Vous êtes grand, d'accord, mais droit comme un i. »

Monsieur Majeur lui jette un regard méfiant.

« **V**ous dites ça pour me faire plaisir.
Mais moi, je sais bien que je suis un bon à rien. »
C'est au tour de Monsieur Annulaire de prendre la parole :
« Enfin, Monsieur Majeur, ne soyez pas stupide.
Vous croyez que je sers à quelque chose, moi ? Non !
Bon, et alors, je ne pleure pas. Un peu de courage, voyons ! »
Monsieur Majeur fond en larmes de nouveau.

« Vous voyez, vous aussi vous trouvez que je suis bête. »
Monsieur Pouce, Monsieur Index et Monsieur Annulaire
se tournent alors vers le plus petit d'entre eux, qui n'a pas dit
un mot depuis son arrivée. « Ne bougez pas, dit le Petit Doigt.
Je ne serai pas très long... »

Le Petit Doigt saute le plus haut qu'il peut. Une fois, deux fois,
trois fois... jusqu'à ce qu'il arrive à l'oreille d'Isaure, la jolie
petite fille blonde à qui appartient la main où ils habitent.

Et là, il raconte toute l'histoire...

« Oh, fait Isaure, je vois. J'ai une idée ! »

Aussitôt, la petite fille convoque ses dix doigts.

« Mon petit doigt m'a dit que l'un d'entre vous croyait ne servir
à rien. Nous allons lui prouver le contraire. Faites la cloche »,
ordonne Isaure. « Mais, mais... On n'y est jamais arrivés »,
protestent les deux petits doigts. « Silence, obéissez ! »
Aussitôt les doigts se mettent en place : les deux pouces,
les deux index, les deux majeurs, les deux annulaires
et les deux petits doigts se croisent et s'arcboutent.

« Les majeurs, sortez du rang ! »

dit Isaure.

« Et maintenant, que la cloche sonne... s'il vous plaît ! »
demande Isaure. « Ho ! hisse ! » crie Monsieur Majeur
qui en oublie son chagrin.
Et il bascule dans le vide de toutes ses forces pour aller en avant
et en arrière. « Ohooo ! » crie l'autre majeur, emporté par
le mouvement. « Ouiiiiii, jubile Monsieur Majeur, en riant
dans le vent. Ça marche, ça marche !
Sans vous, je n'aurais jamais réussi à faire la cloche.
Merci, les amis ! »

« Bravo, Monsieur Majeur ! »

Le Club des cinq chiots

Sur la banquise, tout le monde connaît les cinq chiots de Maman Chien. Les garçons, Oreste et Nestor, ont la même tache brune sur l'oreille. Les filles, Lou, Taïga et Russia, se ressemblent comme trois flocons de neige !

Car voilà : les cinq chiots sont nés le même jour !

Aujourd'hui, Maman Chien a fort à faire. Elle prépare l'anniversaire de ses cinq petits. Il est midi. Tout est prêt !

Sur la banquise, Papa Chien a installé un barbecue géant. La viande grille sur le feu. Miam, miam, miam ! Quelle fête ! Les petits chiots en oublient presque d'embrasser Grand-Chien qui est venu pour l'occasion !

15

Quand arrive le dessert, les cinq chiots ouvrent de grands yeux... Maman a préparé un gâteau extraordinaire, en forme d'igloo. Sur le toit, cinq bougies brillent et un joli petit drapeau flotte dans le vent glacé.

« Il est pour moi ! » dit Lou. « Non, pour moi ! »
s'écrie Taïga, en essayant de l'attraper. Russia se penche
à son tour. Taïga la pousse. Oh ! attention ! Russia va tomber
dans le gâteau. Grand-Chien la rattrape de justesse !
Ouf, le gâteau-igloo est sauvé !

Mais les trois sœurs continuent de se bagarrer dans la neige.
Coups de pattes et coups de dents !

Grand-Chien aboie soudain bien fort et dit : « Ça suffit !
Vous n'allez pas vous disputer un jour de fête !

Bien sûr, ce n'est pas toujours facile de fêter son anniversaire
le même jour que ses frères et sœurs... »

Grand-Chien prend le petit drapeau, le coince derrière
son oreille et les cinq chiots rient de bon cœur.

Un, deux, trois !

Bravo ! Les cinq petits chiens soufflent leurs cinq
bougies d'un seul coup. De jolis nuages de sucre glace s'envolent
dans le ciel ! D'un grand sac Papa Chien sort cinq paquets.
C'est à celui qui ouvrira son cadeau le plus vite !
Oreste reçoit une tente de trappeur, Nestor une luge de course,
Lou une écharpe bleue et un bonnet jaune à pompon,
Taïga une paire de skis et Russia des patins à glace.

Nestor n'est pas content :

« Moi aussi, je voulais une tente de trappeur !
Ce n'est pas juste !

C'est toujours Oreste qui a les plus beaux cadeaux. »
Lou a enfilé son bonnet et mis son écharpe bleue,
comme ses yeux. Elle fait la coquette et Grand-Chien
lui dit : « Comme tu es jolie ! » Taïga aurait bien aimé
recevoir une jolie écharpe bleue, elle aussi.
« Tu veux bien me la prêter ? » demande-t-elle à Lou.
Mais Lou n'est pas d'accord. Alors, Taïga lui tire la queue.

Elle aboie : « Je ne t'aime plus ! Tu m'énerves tellement
que je voudrais t'envoyer sur un iceberg ! Tu n'es pas belle ! »
Soudain, Gros-Nours pointe le bout de son nez.
Il chante en fanfare :

« Joyeux anniversaire,

les copains !
Joyeux
anniversaire,
les grands
chiens ! »
Il se régale
de gâteau-igloo
et s'assoit dans
le traîneau
en appelant Lou.

21

« **A**llez, ma belle !

Emmène-moi en promenade !

Tu es grande maintenant !

Te voilà un vrai chien de traîneau ! »

Lou sautille et se met en place, guillerette !

Elle tire ! Tire !

Mais le traîneau ne bouge pas d'un pouce.

Russia essaie à son tour.
« Avec moi, Gros-Nours, tu vas aller jusqu'en Afrique,
au pays des crocodiles ! » Mais Russia a beau pousser, pousser
de toutes ses forces, le traîneau ne glisse pas ! Taïga prend place,
elle se concentre, ferme les yeux et s'arrête avant d'avoir
essayé ! « Tu as mangé trop de gâteau,
gros lourdaud ! Personne n'arrivera à te traîner ! »
Mais Nestor arrive
fièrement
en montrant
ses gros biscoteaux :
« Prêt ! »
Nestor tire
et pousse
des cris

de guerrier,
il creuse un gros trou
sous ses pattes,
mais le traîneau ne bouge
toujours pas.

Oreste s'impatiente.

« À moi d'essayer.
Je suis le meilleur chien de traîneau du Grand Nord ! »

Ses frères et sœurs éclatent de rire et se moquent de lui !
Oreste tire, transpire et tire de plus belle, mais rien à faire !
Gros-Nours fait le taquin : « Pour des chiens de traîneau
de 5 ans, vous n'êtes pas bien forts ! »
Nestor a une idée : « On va s'y mettre tous ! En place !
Les filles devant, les garçons derrière ! Et c'est parti... »
crient-ils tous en chœur.
Cette fois, le traîneau commence à glisser sur la neige.
D'abord tout doucement, puis de plus en plus vite !
« Hourra ! Hourra ! » crie Gros-Nours en agitant
son drapeau, pour saluer au passage tous les copains
de la banquise. « Hourra ! Hourra ! » crient les cinq petits chiots,
si heureux cette fois d'être cinq pour réussir de vrais exploits !

Le royaume des cinq saisons

Au royaume des sorciers, en plein hiver, un petit garçon du nom d'Archibald fête ses 5 ans. Dans sa famille, on est sorcier de père en fils : le grand-père d'Archibald est le célèbre sorcier Rapidopresto. Il a inventé la poudre d'escampette qui permet de courir très très vite. Le père d'Archibald est le célèbre sorcier Admiropresto. Il a inventé la poudre aux yeux. Quand il la jette sur les gens, ils se mettent à l'admirer et à l'aimer tout de suite. Rapidopresto et Admiropresto sont connus dans tout le pays pour leurs pouvoirs extraordinaires.

Ce jour-là, le grand-père Rapidopresto vient voir son petit-fils :

« Archibald, tu as 5 ans aujourd'hui.

Tu es un grand maintenant et tu dois connaître la formule
magique qui fera de toi un grand sorcier. Le ciel, la terre,
la mer, les quatre saisons, toutes les plantes et
tous les animaux t'écouteront et t'obéiront.
Attention ! Retiens bien cette formule magique
et répète-la après moi : « Abracadabra, le ciel et la terre,
obéissez au pouvoir du sorcier ! »
Archibald n'a pas bien entendu la formule magique,
mais il n'ose pas faire répéter son grand-père.
Il a peur de le mettre en colère. Il murmure :

« Abracaramba,

le miel et les pommes de terre,
c'est l'arrosoir chez les sorciers ! »

27

Catastrophe ! Le sol se met à trembler, la terre se fissure et s'ouvre en deux, des éclairs zèbrent le ciel. Des fleurs poussent et s'épanouissent en un éclair dans la neige, des petits oiseaux font leurs nids sur des branches couvertes de stalactites.

« Malheureux ! Qu'as-tu fait, Archibald ?

crie Rapidopresto. Tu t'es trompé dans la formule magique !

Regarde cette pagaille ! C'était l'hiver,

et maintenant c'est le printemps en même temps !

On va avoir du miel et des pommes de terre simultanément ! Tu as détraqué le cycle des saisons ! Ah! vraiment, on est dans de beaux draps maintenant ! Qu'allons-nous faire ? Il n'existe pas de formule magique pour revenir en arrière ! Archibald ! Quel sorcier tu fais ! Tu peux être fier de toi ! Tu fais honte à toute la famille ! »

A rchibald
regarde autour de lui,
effrayé. Il n'en croit pas ses yeux.
C'est lui qui a fait ça, juste en mélangeant
deux ou trois mots dans la formule magique !
Il aimerait que son grand-père le transforme
en ver de terre. Mieux, en microbe invisible.
Il décide d'aller s'enfermer dans le donjon du château pour toujours.
Les jours passent... Archibald refuse de boire et de manger.
De temps en temps, il regarde par la fenêtre du donjon
pour voir si la situation a changé.

Mais il a l'impression que tout est comme le jour de son anniversaire : les enfants continuent à faire des bonshommes de neige, comme en hiver, mais ils leur ajoutent des colliers de pâquerettes. Ils jouent au hockey sur la glace, mais aussi au football sur l'herbe verte. Le midi, ils mangent de la choucroute et le soir, une salade composée avec des légumes frais du potager. Archibald s'éloigne de la fenêtre chaque fois un peu plus triste.

Les habitants du royaume commencent
à se faire du souci pour le petit Archibald.
« Il ne dort plus, il ne mange plus, il est tout pâlichon,
il faut faire quelque chose pour le sortir de là. »
On décide donc d'envoyer Léonard, le meilleur ami
d'Archibald, dans le donjon. Il lui expliquera
tout ce qu'il ne peut pas voir de sa petite fenêtre.
« Archibald, lui dit Léonard, il ne faut pas rester seul
dans ce donjon. Tu crois avoir fait une énorme bêtise
mais, en fait, tu as trouvé la formule magique qui permet
de créer une nouvelle saison.

Nous sommes tous très contents : nous pouvons faire du ski sur les pentes enneigées puis, tout de suite après, faire des plongeons dans la piscine, boire un chocolat chaud pour nous réchauffer, puis une orangeade glacée pour nous rafraîchir, porter des bottes fourrées et un chapeau de paille, regarder les marmottes hiberner et les abeilles faire leur miel. Tu vois, c'est super ! Pour nous, c'est en même temps le printemps et l'hiver ! Tu peux être fier d'avoir inventé cette nouvelle saison ! »

En entendant cela, Archibald saute de joie. Il grimpe
sur un arbre au centre de la cour du palais et dit :
« Moi, le sorcier Archibald, j'ai créé le jour de mon cinquième
anniversaire une cinquième saison, le printhiver, une saison
unique où vous pouvez goûter aux plaisirs du printemps
et de l'hiver en même temps.
Et pour fêter cette grande nouvelle, je vous invite tous ce soir
au festin du printhiver. Au menu : endives au jambon
et fraises du jardin à la crème, fondue savoyarde et melons
frais au sirop, bœuf bourguignon et sorbets glacés ! »
Le festin dure jusqu'à l'aube, au royaume des cinq saisons,
et le jeune sorcier Archibald est le roi de la fête !

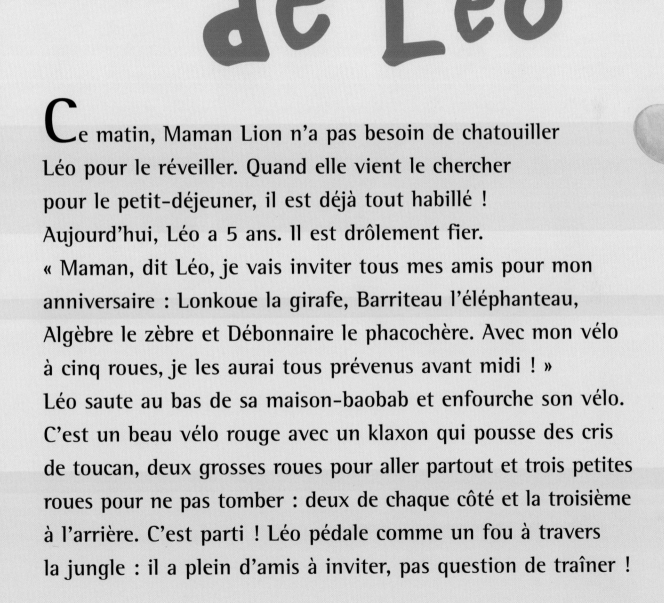

Le vélo de Léo

Ce matin, Maman Lion n'a pas besoin de chatouiller Léo pour le réveiller. Quand elle vient le chercher pour le petit-déjeuner, il est déjà tout habillé ! Aujourd'hui, Léo a 5 ans. Il est drôlement fier.

« Maman, dit Léo, je vais inviter tous mes amis pour mon anniversaire : Lonkoue la girafe, Barriteau l'éléphanteau, Algèbre le zèbre et Débonnaire le phacochère. Avec mon vélo à cinq roues, je les aurai tous prévenus avant midi ! »

Léo saute au bas de sa maison-baobab et enfourche son vélo. C'est un beau vélo rouge avec un klaxon qui pousse des cris de toucan, deux grosses roues pour aller partout et trois petites roues pour ne pas tomber : deux de chaque côté et la troisième à l'arrière. C'est parti ! Léo pédale comme un fou à travers la jungle : il a plein d'amis à inviter, pas question de traîner !

37

Mais voilà que son vélo devient lourd,
si lourd que Léo ne peut plus avancer.
Le petit lion s'arrête, épuisé.
« Bonjour, Léo », dit une voix que Léo n'aime pas.
Oh, non ! c'est Baba le boa. Il s'est enroulé sur le porte-bagages
et regarde Léo d'un air moqueur.

« **A**lors, Léo, siffle Baba,

on se balade ? »

« Descends de mon vélo,

gros lourdeau. Je ne peux plus avancer. »

« Ce sont peut-être toutes tes roues qui te gênent,

dit Baba en avançant sa grosse tête aux yeux jaunes.

Tu ne crois pas qu'il serait temps de les retirer, gros... bébé ! »

Léo devient rouge de colère. « Je ne suis pas un bébé !

D'abord, je peux faire du vélo sans les petites roues.

Je suis grand maintenant, j'ai 5 ans ! »

Baba le boa sourit méchamment :
« D'accord, essaie pour voir ! »
Léo est bien embêté, mais il ne veut pas avoir l'air d'un bébé.
Alors, il retire les trois petites roues.
« Bravo, Léo, siffle Baba. Tu permets que je te regarde
t'élancer ? Je ne voudrais pas rater ça ! »

Et le boa s'enroule autour d'une branche
de bananier. Pauvre Léo,
ses pattes arrière tremblent.
Il monte quand même sur
son vélo et se lance.
Patatras !

Léo se retrouve les quatre pattes en l'air.
Baba le boa se tord de rire.
« Quel exploit ! J'en suis... baba !
dit le boa. Bon, je m'en vais.
Mais tu permets que
j'emporte un souvenir
de cette belle journée ! »
Et le méchant boa
s'enfuit avec les petites
roues de Léo, qui
se met à pleurer.

Karaoké, le vieux chimpanzé de la jungle, s'approche doucement. Il s'assied à côté du petit lion et lui caresse gentiment la tête. « Alors, Léo, que t'arrive-t-il ? »

« C'est Baba le boa, sanglote Léo.

Il a pris mes petites roues,

je suis tombé, je ne peux plus rentrer chez moi

et mon anniversaire est raté maintenant... »

« Arrête de pleurer, petit lion.

Je vais t'aider ! dit Karaoké. D'abord, envoyons

un coco-message à tous tes amis pour les inviter.

Et mettons-nous au travail.

Tu dois apprendre à pédaler sans vaciller.

Vas-y, je te regarde. »

Léo s'élance, oscille
d'un côté, de l'autre, et finit par tomber
sur le côté. Ce n'est pas si facile de tenir droit
sur son vélo, mais Karaoké l'encourage :
« Allez, tu vas y arriver ! Tiens bien le guidon,
appuie plus fort sur tes pédales
et regarde droit devant toi.
Et puis, j'ai une idée : je vais tenir
ton porte-bagages, tu vas commencer
à pédaler et, quand tu seras prêt,
tu me diras de lâcher. »
Léo commence à pédaler,
rassuré par Karaoké
qui tient le vélo
bien droit.

Après quelques mètres,
Léo crie : « Tu peux lâcher ! »
« C'est déjà fait », crie la voix de Karaoké,
très loin derrière... Et ça marche ! Léo est fou
de joie, jamais il ne s'est senti aussi fort !
Le petit lion revient à toute vitesse
vers Karaoké qui saute sur le côté.
« Oh, oh, oh ! Il faut apprendre à freiner
maintenant. Appuie sur
les freins. Attention, tu... »

Trop tard. Léo a freiné d'une seule patte et boum ! Il est passé par-dessus la roue avant. « Il faut appuyer sur les deux freins en même temps, Léo, c'est important ! »

« Merci, Karaoké ! Tu es le plus savant des singes de la jungle. »

Quand Léo rentre chez lui, tout seul comme un grand sur son beau vélo rouge à deux roues seulement, tous ses amis sont réunis.

« Bon anniversaire, s'écrient la girafe,
l'éléphanteau, le zèbre et le phacochère.
Bravo, Léo, c'est toi le roi de la jungle ! »

J'ai 5 ans... et demi !

Au cœur d'une épaisse forêt, sombre, profonde, se dresse un château gigantesque. Abandonné ? Pas tout à fait !
Dans la cour, au soleil, sommeille un petit dragon de 5 ans et demi. Dans ses rêves de bataille, il aperçoit un chevalier en armure. Celui-ci s'approche du pont-levis et s'écrie :
« Mais enfin ! Il n'y a donc personne ici ? »
Le petit dragon ouvre un œil puis le second. Qui ose le déranger ainsi ? La voix qui l'a réveillé n'est pas celle d'un chevalier ! C'est sa grand-tante, la vieille dragonne Gertrude.
« Pouah ! Elle va vouloir me couvrir de bisous gluants et brûlants ! » Alors le petit dragon s'étire, s'ébroue, puis abaisse à contrecœur le pont-levis.

« **T**anguy ! Bonjour, dragonnet chéri !
Comme tu as grandi ! »
« Oui. J'ai 5 ans... ET DEMI !
Bonjour, tante Gertrude. »
« Embrasse ta grand-tante, mon amour de dragon ! »
« Et voilà, j'en étais sûr ! bougonne-t-il. Tante Gertrude,
je ne suis plus un bébé ! Un dragon digne de ce nom
ne fait plus de baisers !
Tu as dû faire un long chemin pour venir voir
mes parents, mais
ils se sont absentés.

« P eut-être veux-tu
revenir une autre fois ? »
Mais dragonne Gertrude n'est
pas pressée. Et puis elle est venue
aussi pour lui ! « Oh, là là !
Quel après-midi infernal ! »
Tanguy peste et râle. Tant pis !
Il lui montrera, dans le donjon, la princesse
endormie et l'immense collection d'armures
de chevaliers qui n'avaient pas le cœur assez pur
pour embrasser la Belle assoupie...
Alors, prenant son élan, Tanguy s'envole
vers la plus haute tour du château.

« **R**egarde, tante Gertrude,
mes ailes ont encore poussé depuis quelques
mois. Je peux faire le vol plané,
le vol en piqué, le roulé-boulé... »
Tanguy est très content de lui. Tante Gertrude a l'air
admirative. Elle semble vraiment très impressionnée !
Au sommet de la tour, Tanguy lui montre le paysage,
la forêt qui s'étend à perte de vue.
« Regarde, tante Gertrude, d'ici je peux apercevoir tout chevalier
qui tenterait de s'approcher du château. Et s'il arrive jusqu'ici,
foi d'un dragon de 5 ans et demi, je cracherai du feu
et le grillerai... comme une petite saucisse ! »

« **C**omme ceci ? » Tante Gertrude prend une énorme inspiration puis recrache des flammes aussi hautes qu'un volcan en éruption !

« Oui, comme ceci ! Regarde, tante Gertrude, mes flammes sont aussi brûlantes que mille fournaises ! Regarde, tante Gertrude, mes écailles sont devenues plus rugueuses et aussi épaisses qu'une cuirasse. Aujourd'hui, aucune épée de soldat ne pourrait les transpercer. Je suis invincible ! »

Tante Gertrude sourit de ses grandes dents acérées.

« Entends-tu, tante Gertrude, comme je peux rugir beaucoup plus fort qu'avant ? WHAOW... »

Tanguy n'a pas pu résister à la tentation de pousser des cris qui terrifient les animaux des alentours. Les chauves-souris réveillées s'envolent à tire-d'aile, les loups hurlent de terreur, les serpents se terrent dans leur trou. Dragonne Gertrude crie à son tour. Alors, les arbres eux-mêmes se courbent comme sous l'effet d'une tornade. De peur, le soleil se cache derrière les nuages et les nuages prennent leurs jambes à leur cou.

« Regarde, tante Gertrude, je sais sauter bien plus haut et bien plus loin que lorsque j'avais 5 ans ! »

Et hop ! Tanguy saute d'une tour à une autre, d'un balcon au rebord d'une fenêtre, des créneaux du rempart jusqu'aux...

Patatras ! Tanguy a manqué son coup. Ce n'est pas un saut,
c'est un immense plongeon
qu'il a fait dans les douves.

Alors, pour ne pas le vexer, tante Gertrude a sauté aussi !
Les voilà tous les deux dans le fossé, et puisque c'est
très rigolo, Tanguy et Gertrude commencent une folle bagarre
à coups d'algues, de bambous, de vase poisseuse et de poissons
rouges. Les deux dragons rient aux éclats.

« Que dis-tu d'un bon goûter ? À 5 ans et demi, on a toujours plus d'appétit qu'à 5 ans ? » Dans les cuisines, Tanguy et Gertrude ont déniché du pâté de lion, quelques gâteaux à la crème de dinosaure. Un vrai festin. Mais voilà, tante Gertrude doit maintenant rentrer chez elle. Tanguy est tout triste.

« Quelle dragonne extraordinaire ! »
pense-t-il. Tante Gertrude est triste aussi. « Quel amour de dragon », pense-t-elle. « Tante Gertrude,
je n'ai que 5 ans
et demi. On peut
s'embrasser pour
se dire au revoir ? »